W9-COX-602

Les matériaux

LES TEXTILES

© Éditions Gamma,
60120 Bonneuil-les-Eaux, 2002,
pour l'édition française.
Traduit par Sylvie REY.
Dépôt légal : septembre 2002.
Bibliothèque nationale.
ISBN 2-7130-1959-1

Exclusivité au Canada :
Éditions École Active
2244, rue de Rouen, Montréal,
Qué. H2K 1L5.
Dépôts légaux : 4e trimestre 2002.
Bibliothèque nationale du Québec,
Bibliothèque nationale du Canada.
ISBN 2-89069-713-4

Loi n° 49-956 du 16 juillet 1949
sur les publications destinées à la jeunesse.

Imprimé en Spagne par Bookprint, S.L., Barcelone

Les matériaux

LES TEXTILES

Steve Parker

GAMMA • ÉCOLE ACTIVE

Sommaire

La plupart des articles vestimentaires sont encore taillés et montés par des ouvrières spécialisées plutôt que par des machines. La forme d'un vêtement varie afin d'épouser le corps dans le style désiré.

Les premiers vêtements étaient probablement en peaux de bêtes à fourrure. Il y a 7000 ans, les hommes tressaient les poils des toisons animales et les brins des fibres végétales pour confectionner les premiers textiles. Aujourd'hui, les textiles représentent une industrie mondiale importante. En dehors de l'usage vestimentaire, des tissus de toutes sortes sont également utilisés dans l'ameublement, l'industrie automobile, pour les avions, les bateaux... En fait, ils sont partout.

Le filage et le tissage s'effectuaient manuellement. Des machines, tel ce métier à tisser de 1862, accélérèrent grandement le processus.

Le XXᵉ siècle fut témoin de la création de nombreuses fibres synthétiques comme les polyamides, les polyesters et les acryliques.

Les fibres synthétiques sont idéales pour les tenues de sport. Elles sont légères, élastiques, lisses et diminuent considérablement la résistance à l'air.

6 Les fibres naturelles

Les textiles sont faits à partir de fibres longues, fines et souples. Il existe des fibres naturelles végétales et animales. L'utilisation du lin, du coton, de la laine et de la soie remonte à l'Antiquité.

LEURS CARACTÉRISTIQUES

Les fibres textiles doivent être souples pour supporter la torsion lors du tissage - ou de procédés similaires -, longues et résistantes afin que les étoffes soient suffisamment solides. De plus, elles doivent être durables afin d'éviter la décomposition des textiles.

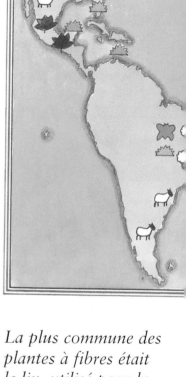

La plus commune des plantes à fibres était le lin, utilisé pour la confection de la toile de lin. Le coton le supplanta au XIXᵉ siècle.

Les différentes races de moutons fournissent des laines de qualités variées.

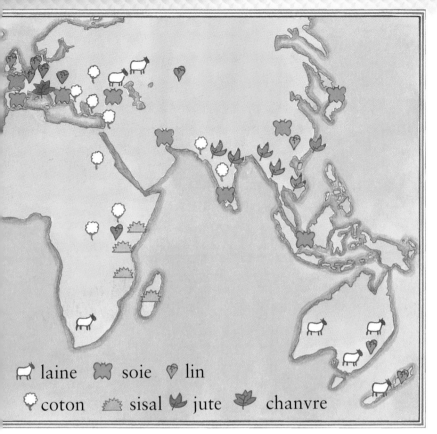

laine 🐑   soie 🦋   lin ♡

coton ☁   sisal 🌿   jute 🍂   chanvre 🍃

Chaque partie du monde produit ses propres fibres naturelles. Les fibres végétales dépendent des conditions climatiques et de la nature des sols ; les fibres animales seulement des espèces élevées. Dans l'ancienne Chine, l'origine du fil de soie fut gardée secrète jusqu'à l'introduction des vers à soie au Moyen-Orient, en 552 av. J.-C.

Faits du **PASSÉ**

La plupart des fibres naturelles sont étirées et tordues afin d'obtenir des fils très longs. Ce procédé s'appelle le «filage». Dans l'Antiquité, le filage était un passe-temps pour les femmes riches.

D'AUTRES QUALITÉS

Les étoffes fabriquées avec ces fibres textiles en possèdent les caractéristiques. La soie est très confortable et fluide. La laine de mouton, frisée et élastique, emprisonne un grand volume d'air qui garde la chaleur. Des fibres végétales beaucoup plus solides et épaisses servent à la fabrication de ficelle, corde et tapis.

Une quenouille il y a 2000 ans.

8 Le coton et le lin

Le coton est la plus courante des fibres employées dans l'industrie textile. Les tee-shirts, les sous-vêtements et le linge de maison sont souvent en coton.

LES CAPSULES DU COTONNIER

Le cotonnier est une plante dont les capsules contiennent de nombreuses graines couvertes de poils constituant le coton. Les capsules sont blanches et duveteuses ; leurs fibres mesurent 2 à 3 cm de long. L'égrenage sépare les fibres des graines.

Le cotonnier met 4 à 6 mois pour produire des capsules mûres qui sont alors récoltées par des machines cueilleuses.

L'égreneuse sépare les fibres des graines.

L'ÉGRENAGE DU COTON

1 capsules de fibres et de graines

2 un tambour les presse contre un rouleau-scie denté

3 un rouleau-scie denté attrape l'ensemble fibres-graines

4 des barres filtrent les fibr[es] et retiennent le[s] graines

5 les graines tombent

6 un ventilateur souffle sur les dents

7 fibr[es] vers l[e] filage

Le lin est cultivé pour les longues fibres de ses tiges, mais aussi pour ses graines. Celles-ci sont écrasées et libèrent alors «l'huile de lin».

Après séchage, les tiges de lin sont battues et broyées pour en extraire les longues fibres.

LE LIN

Le lin est une plante herbacée. Les récoltes peuvent être manuelles ou mécaniques. Les tiges contenant les fibres sont mises à tremper dans de l'eau pendant plusieurs jours. Puis elles sont séchées, battues, broyées et enfin peignées pour libérer de longues fibres.

Des balles de coton égrené, prêt pour le filage.

L'égreneuse de coton sépare les fibres des graines ainsi que des autres parties de la capsule. Elle retire également et peigne les fibres qui sont préparées en balles. Eli Whitney conçut la première égreneuse de coton en 1793-1794. Les égreneuses actuelles en sont des versions modernisées. Les graines de coton sont utilisées pour les huiles végétales.

Idées pour le **FUTUR**

Les fibres des capsules de coton sont blanches. Mais un jour, elles pourraient être de la couleur désirée si les cotonniers étaient modifiés génétiquement. Ainsi, il n'y aurait plus besoin de teinter les fibres après les récoltes.

Du coton de couleur génétiquement modifié ?

10 Des fibres végétales

D'autres végétaux possèdent des fibres résistantes utilisées par l'industrie textile. Les méthodes pour libérer les fibres sont semblables à celles du lin.

LE JUTE ET LE SISAL

Le jute est une fibre tirée de l'écorce du corchorus qui peut atteindre 4 m de haut. Les fibres sont épaisses et rugueuses. Elles servent à fabriquer des sacs, toiles d'emballage et tissus d'ameublement. Le sisal est une plante du Mexique dont les feuilles donnent des fibres utilisées pour faire des sacs, cordes et toiles grossières.

Chaque feuille de sisal contient plus de 1000 fibres mesurant jusqu'à 1,50 m de long. Elles servent à fabriquer des cordes et ficelles.

Le corchorus est cultivé principalement en Inde et au Bangladesh. Les tiges sont trempées dans de l'eau, séchées et écrasées pour libérer les fibres du jute.

Le jute est transporté par bateau jusqu'à la filature. Les fibres sont fragiles et cassantes et absorbent assez mal les teintes.

Le kapokier est un grand arbre d'Asie.

LE KAPOK ET LE CHANVRE

Le kapok est un duvet végétal, très léger, qui provient des capsules du kapokier. Il est utilisé pour divers rembourrages. Le chanvre est une plante dont les fibres de la tige sont utilisées pour les sacs, cordes et toiles grossières.

Les fibres du chanvre sont prélevées et séchées de la même façon que celles du lin. Elles mesurent jusqu'à 2,5 mètres de long et sont très résistantes.

La plupart des fibres sont étirées et soumises à des torsions pendant le filage.

Une filature de jute. Le jute est l'une des plus longues fibres naturelles végétales (presque 4 m).

Faits du PASSÉ

Le chanvre résiste à l'eau et à la pourriture. Il servait à faire des hamacs, cordages, ficelles pour les anciens voiliers. Aujourd'hui, comme beaucoup d'autres fibres naturelles, il a été remplacé par les fibres synthétiques plus solides.

Manœuvre avec une corde de chanvre (1881).

11

La laine est le poil doux et frisé du mouton. Cette fibre est couramment utilisée pour les textiles.

LES CARACTÉRISTIQUES DE LA LAINE

Les fibres de la laine sont douces et élastiques. Elles absorbent les liquides comme la transpiration et la teinture. Elles peuvent être nettoyées et retrouver leur forme initiale.

Les moutons sont lavés régulièrement dans des bains chimiques afin de tuer leurs parasites (poux et puces).

La toison laineuse des moutons est tondue à la main avec des ciseaux spéciaux et des tondeuses électriques.

STRUCTURE DE LA LAINE

Une fibre de laine est semblable à un cheveu. Elle est constituée d'une protéine : la kératine. Elle est sécrétée par des bulbes pileux situés sous la peau. La partie libre et morte de la fibre est composée de millions de cellules microscopiques.

cellules plates de la cuticule (couche externe)

cellules fusiformes du cortex (couche interne)

FIBRE DE LAINE

s alpagas
t été tondus
r leur laine
dant des
cles.

LES VARIÉTÉS DE LAINE

La laine la plus fine provient des mérinos et des moutons élevés à Rambouillet. D'autres animaux fournissent aussi leur laine : les chameaux d'Afrique et d'Asie, les alpagas, vigognes et lamas d'Amérique du Sud. Les chèvres angoras et celles du Cachemire sont élevées pour leur laine. Le dessous de la toison donne la laine la plus fine. La partie externe de la toison est beaucoup plus dure et épaisse.

La toison du chameau donne un tissu chaud.

Le mohair est le poil de la chèvre angora.

fibres moyennes

4

5

3

6

8

7

1

fibres
épaisses
et courtes

12

2

9

11

10

les qualités de
la laine varient :
de 1 (la meilleure)
à 12 (la moins
bonne) selon son
implantation

fibres
douces,
longues
et fines

Idées pour le FUTUR

La tonte est un travail fatigant qui demande une grande dextérité. Nous pourrions obtenir une race de moutons qui s'auto-tondraient. L'ingestion d'une pastille provoquerait la chute naturelle de leur toison qui repousserait ensuite rapidement.

L'époque de la tonte.

13

La soie

La soie permet la confection des étoffes les plus douces, les plus brillantes et les plus résistantes. La soie fut et sera toujours extrêmement appréciée.

LE VER À SOIE

La soie est différente des autres fibres animales. Elle n'est pas frisée ni ondulée. Elle se compose de minces filaments de grande longueur sécrétés par le ver à soie, en fait la chenille du bombyx du mûrier, un papillon nocturne aux ailes claires, au corps bombé et duveteux.

Faits du **PASSÉ**

La soie semble fragile, mais ses filaments sont aussi résistants que le Nylon (fibre synthétique). C'est en Chine que naquit l'idée de confectionner des étoffes avec les brins de soie des cocons des bombyx, en 2600 av. J.-C.

Une ouvrière de la soie cueillant des feuilles de mûrier pour nourrir les chenilles.

Les bombyx ont été élevés en Chine il y a 4000 ans. Chaque femelle adulte pond de 500 à 700 œufs. Quelques cocons de chaque ponte sont gardés : les chrysalides se développent, puis les papillons adultes s'accouplent et produisent une nouvelle ponte.

LES MUES DU BOMBYX

Le bombyx se développe comme les autres papillons. L'adulte (1) pond des œufs. Chacun donne naissance à une chenille (2) qui se nourrit de feuilles de mûrier (3) pendant cinq semaines. Puis elle tisse un cocon (4) dans lequel elle se transforme en chrysalide. Deux semaines plus tard, un adulte émerge.

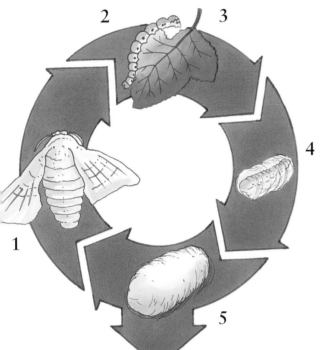

La meilleure soie est réservée à la confection de vêtements de luxe. Cette publicité de 1920 montre aussi les trois étapes du bombyx : papillon, chenille et cocon.

LONG ET SOLIDE

Le ver à soie tisse son cocon en un seul filament long de 1500 m. Les cocons sont triés selon différents critères de qualité, puis ramollis dans de l'eau chaude. Une filière réunit plusieurs filaments de façon à fournir un fil de soie brute, la soie grège, qui est alors bobiné. Plusieurs fils peuvent être mêlés afin d'obtenir un fil suffisamment épais pour le tissage.

Les vers à soie ne se nourrissent que de feuilles de mûrier fraîches (p. 14). Une fois les cocons tissés, ceux-ci sont ramassés et triés (ci-dessus).

Les filaments de soie sont si fins qu'il en faut plus de vingt réunis et tordus pour l'obtention d'un fil appelé «soie grège».

16 Les fibres cellulosiques

La première fibre artificielle fut produite en 1880. En fait, sa matière première est naturelle : c'est le bois.

LA VISCOSE

Les fibres artificielles de viscose sont issues de la cellulose. Le bois est réduit en pâte et mélangé avec des produits chimiques pour obtenir la cellulose. Celle-ci subit d'autres traitements chimiques, puis elle est poussée à travers de minuscules trous qui l'étirent en de longs filaments.

Cette affiche de 1929 vante le soyeux de la rayonne.

La cellulose est la substance principale constituant la paroi des cellules végétales. Sa forme la plus pure est le coton.

FABRICATION DE LA VISCOSE

1 trempage des feuillets de cellulose

2 les feuillets passent dans le broyeur

3 les morceaux déchiquetés sont laissés dans un bain de soude

La viscose est obtenue par mélange de la cellulose avec de la soude et du sulfure de carbone. Ses filaments sont parfaits pour des étoffes plus lourdes. Un procédé similaire utilisant l'hydroxyde de cuivre ammoniacal produit des fibres plus soyeuses.

La cellulose vient principalement du bois, plus précisément de ses déchets (copeaux, éclats) provenant des scieries. Ces morceaux sont mis à tremper dans des bains chimiques pour les assouplir et en extraire la cellulose. Elle est compressée en feuillets prêts pour être transformés en viscose.

4 ajout de sulfure de carbone

5 le mélange est battu et forme des grumeaux

6 le tout est dissous et donne une pâte

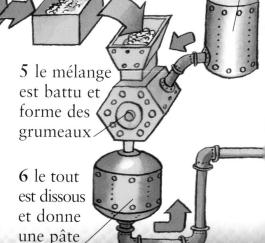

LA SOIE ARTIFICIELLE

Appelée d'abord «soie artificielle», puis «rayonne» en 1924, la viscose fut créée pour répondre à la demande de tissus semblables à la soie, mais plus économiques. Ses nombreuses variétés, qui ne représentent que 14 % des fibres artificielles, sont utilisées aussi bien pour les vêtements que pour les toiles tapissant l'intérieur des pneus.

La viscose absorbe les liquides. Elle est donc utilisée pour les tissus médicaux et les filtres chimiques.

Le diamètre des trous des filières donne l'épaisseur des filaments de viscose. Ils peuvent aussi être étirés encore plus fins sous l'action de jets d'eau.

Ces filaments de viscose sont très longs, soyeux, rectilignes et de même épaisseur.

Idées pour le FUTUR

La viscose est un dérivé de la cellulose issue principalement du bois. Ceci implique l'abattage des arbres. L'arbre du futur devrait développer des fibres de cellulose sur son pourtour, comme les brins de céleri. Il ne resterait plus qu'à les retirer pour une utilisation immédiate.

Fibres sur le pourtour du céleri.

9 pompe à haute pression

12 les fils sont étirés et bobinés

11 les fils se solidifient dans le bain acide

7 la presse-filtre transforme le mélange en un liquide épais

8 le réservoir de clarification élimine les bulles d'air

10 le mélange liquide est projeté à travers les trous de la filière

Après la viscose, les chercheurs essayèrent de créer des fibres totalement artificielles à partir de synthèses moléculaires. Ils réussirent en 1938 et les développèrent depuis lors.

LE NYLON

Le Nylon est la première fibre née en laboratoire ne comprenant aucune substance naturelle. Son succès fut instantané aussi bien dans la mode vestimentaire que pour les utilisations militaires et industrielles (parachutes, renforts pneumatiques). Il existe dorénavant des dizaines de fibres synthétiques élaborées à partir de polymères issus du pétrole, comme les polyamides, polyesters et acryliques.

Dans une raffinerie, le pétrole est séparé en des centaines de substances. Quelques-unes donnent les fibres synthétiques.

Le Nylon est un polyamide. L'appelation Nylon tend à être utilisée pour tous les polyamides.

Les fibres aramides ne se dégradent pas dans la mer.

1 le mélange est renforcé par évaporation

2 un four chauffe le mélange

3 le Nylon fondu s'écoule sur une roue et se solidifie

4 le Nylon solidifié est broyé

5 les copeaux sont alors mélangés à de l'hydrogène et dissous

6 le liquide obtenu est poussé à travers les trous de la filière, puis refroidi par un ventilateur

mélange de Nylon brut

7 les fibres de Nylon sont filées et bobinées

ordinateur

eau

Le Nylon commence par un mélange d'acide adipique et d'hexaméthylène-diamine dans des usines chimiques. Il se forme des chaînes macromoléculaires sous l'action de la chaleur et de la pression. Les fibres de Nylon sont obtenues de la même façon que celles de viscose, par projection à travers les orifices d'une filière. Le Nylon remporta un vif succès grâce à ses qualités de soyeux, brillance, résistance, de facilité de lavage et de séchage instantané. Il résistait à l'humidité, aussi l'armée l'utilisa pour les toiles des parachutes, tentes et équipements divers.

Faits du **PASSÉ**

En 1935, une équipe de chercheurs de la firme Du Pont de Nemours développa le Nylon. Wallace Carothers, qui dirigeait les recherches, eut l'intuition que les molécules appelées «monomères» pouvaient se lier à d'autres et former des macromolécules : les «polymères». Elles étaient suffisamment longues pour former des fibres.

Wallace H. Carothers (1896-1937).

19

Les fibres naturelles comme la laine et le coton sont trop courtes pour être tissées ou tricotées. Aussi est-il nécessaire de les transformer en longs fils grâce au filage.

LA TORSION

Le principe du filage est de tordre ensemble plusieurs fibres courtes. Grâce à leurs crochets naturels, elles acquièrent une cohésion assez forte pour qu'elles ne puissent se défaire par la suite. Les fibres du coton mesurent 2 à 3 cm de long. En chaque point d'un fil de coton, une centaine de fibres sont tordues ensemble.

Avant le filage, les fibres comme le coton doivent être orientées plusieurs fois à l'aide d'un ensemble de cylindres. Les fibres sont étirées jusqu'à ce qu'elles soient toutes parallèles, sans nœuds.

LE CARDAGE

Le cardage a pour objet de dénouer les fibres naturelles, tel le coton, de les séparer les unes des autres et de les nettoyer avant le filage. Elles sont démêlées entre des surfaces garnies de pointes, puis peignées pour former un faisceau ou ruban.

L'ÉTIRAGE

Plusieurs rubans passent entre des paires de cylindres dont la vitesse de rotation augmente de la première à la dernière. Les fibres glissent les unes par rapport aux autres et sont étirées longitudinalement. À la sortie, elles sont condensées en ruban.

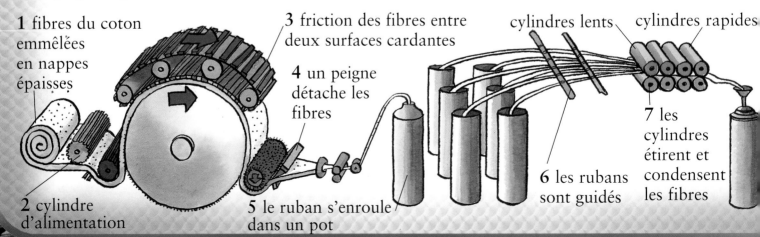

1 fibres du coton emmêlées en nappes épaisses

2 cylindre d'alimentation

3 friction des fibres entre deux surfaces cardantes

4 un peigne détache les fibres

5 le ruban s'enroule dans un pot

cylindres lents

cylindres rapides

6 les rubans sont guidés

7 les cylindres étirent et condensent les fibres

Faits du **PASSÉ**

Jusqu'au XIII siècle, le filage était manuel à l'aide de fuseaux. À partir du XIV siècle, le rouet augmenta la vitesse du filage. Au XVIII siècle apparurent les premiers métiers à filer dont la célèbre *mule-jenny* de S. Compton. Grâce aux métiers à tisser mécaniques, le prix des textiles devint beaucoup plus abordable.

Un rouet traditionnel.

LE MÉTIER À FIBRES LIBÉRÉES

Le procédé de filature dépend des variétés de fibres. Dans le métier à fibres libérées, les fibres sont envoyées dans une petite turbine tournant à grande vitesse. Les fibres se répartissent à la périphérie de la turbine et le fil sort tordu.

Un métier à tisser enroule le fil à grande vitesse sur un cylindre, un tambour ou une bobine. Ce fil pourra alimenter un autre métier.

L'AFFINAGE

L'affinage consiste à étirer les rubans entre des paires de cylindres pour obtenir des mèches de la grosseur désirée. Les mèches passent ensuite dans le bras d'une ailette tournante et se tordent en s'enroulant sur une bobine.

LE FILAGE

Les mèches alimentent le métier à tisser. Elles sont encore étirées pour être affinées à la grosseur voulue. Puis, elles passent dans un guide-fil, s'enfilent dans un curseur qui tourne et s'enroulent sur une bobine en se tordant.

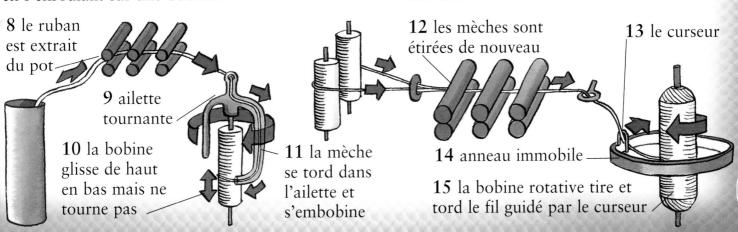

8 le ruban est extrait du pot

9 ailette tournante

10 la bobine glisse de haut en bas mais ne tourne pas

11 la mèche se tord dans l'ailette et s'embobine

12 les mèches sont étirées de nouveau

13 le curseur

14 anneau immobile

15 la bobine rotative tire et tord le fil guidé par le curseur

21

Entrelacer des fils pour en faire des étoffes est une activité qui remonte à l'Antiquité.

LES PREMIERS MÉTIERS

Les premières réalisations du tissage étaient probablement des paniers et des filets, à l'aide de longues tiges de plantes. Dans la plupart des tissages, une partie des fils est entrecroisée avec l'autre partie, un fil passant sur l'autre, puis sous le suivant et ainsi de suite. Le tissage était manuel. Aujourd'hui, il est réalisé par des machines automatiques.

Le métier à tisser Jacquard de 1805 utilisait de grandes cartes perforées pour la réalisation de motifs. C'était l'une des premières machines automatiques.

UN MÉTIER À TISSER

Un métier comprend deux séries de fils : les fils de chaîne et les fils de trame. Les fils de chaîne sont dans le sens de la longueur, en rangées serrées. Le fil de trame passe dans une petite navette en pointe qui se faufile entre les fils de chaîne. À chacun de ses passages, les fils de chaîne pairs (2, 4, 6,...) sont soulevés tandis que les fils impairs (1, 3, 5,...) sont abaissés à l'aide des lisses. Puis les fils de chaîne sont inversés avec les pairs en bas et les impairs en haut et la navette va en sens inverse.

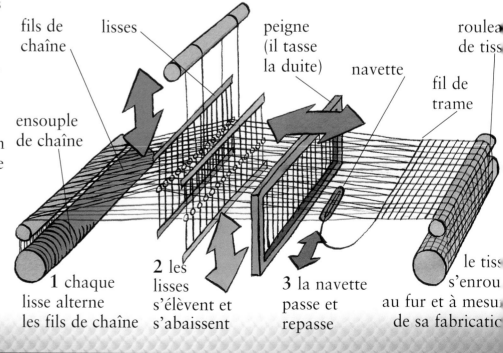

fils de chaîne   lisses   peigne (il tasse la duite)   roulea de tiss

navette

ensouple de chaîne

fil de trame

1 chaque lisse alterne les fils de chaîne

2 les lisses s'élèvent et s'abaissent

3 la navette passe et repasse

le tiss s'enrou au fur et à mesu de sa fabricati

Les motifs colorés sont réalisés en changeant les fils de trame ou de chaîne. La navette volante est propulsée mécaniquement entre les fils de chaîne.

Pour obtenir des tissus moelleux, les fils de chaîne et de trame doivent être uniformément espacés, soumis à une même tension. Le tisseur inspecte régulièrement le tissu et compte le nombre de fils de trame et de chaîne dans un certain intervalle pour vérifier si tout est correct.

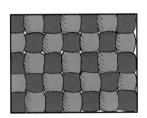

LES EFFETS DE TISSAGE

Il existe un grand nombre de motifs de tissage. Des fils fins et serrés produisent une étoffe à la trame serrée tandis que des fils écartés fournissent une toile plus lâche. Les serviettes de bain ont deux séries de fils de trame ou de chaîne : une série forme la partie plate de l'étoffe, l'autre série réalise les bouclettes.

DIFFÉRENTS TISSAGES

La toile : tissage de base avec un fil de chaîne pour un fil de trame.

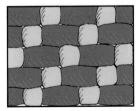

Le sergé : la trame passe sous deux fils de chaîne à la fois.

Le satin : deux fils de chaîne avec un fil de trame épais.

Faits du PASSÉ

Comme le filage, le tissage était uniquement manuel. Des métiers fort simples étaient utilisés il y a 5000 ans en Europe et en Asie. La première amélioration apparut en 1733 avec la navette volante de John Kay : un mécanisme, les sabres de chasse, la lançait entre les fils de chaîne. Ce procédé était plus rapide que de la passer à la main.

Un métier à tisser en 1860.

Les textiles ne comprennent pas que les étoffes tissées. L'industrie textile concerne des produits fabriqués par des méthodes variées.

LE TRICOTAGE

Dans un tricot, une seule longueur de fil sert à entrelacer des mailles. Il n'y a pas de fil de chaîne ni de fil de trame. Le tricot peut se faire à la main ou à la machine.

Après le tissage, le tricotage est la seconde méthode la plus utilisée dans l'industrie textile. Une grande variété de fils et de modèles sont confiés à des chaînes de machines à tricoter (ci-dessus).

fil de trame (violet)

fil de chaîne (vert)

Dans une maille à l'endroit, la boucle est ramenée sur le devant (celui visible). Dans une maille à l'envers (ci-dessus), elle est tirée à l'arrière.

Idées pour le FUTUR

Certaines matières sont capables d'absorber rapidement la chaleur, puis de la restituer peu à peu. Si ces matières pouvaient être ajoutées aux fils, tu pourrais chauffer ton manteau au four ; puis dans les heures suivantes, tu profiterais de la chaleur qu'il diffuserait lentement.

LE FEUTRAGE

Une étoffe tissée a une texture : les fils sont droits, entrecroisés suivant des modes précis. Le feutre est une étoffe obtenue sans filature ni tissage ; les filaments ou poils sont enchevêtrés et agglomérés. Ils sont compressés, chauffés, parfois encollés avec de petites quantités de produits chimiques.

Le feutre est utilisé pour les tables de billard, car les balles doivent rouler dans toutes les directions. Une balle de tennis est faite de fibres plus épaisses.

LES FINITIONS

Certains textiles subissent encore des traitements pour obtenir un apprêt particulier. Ces différentes finitions modifient l'aspect, le toucher, ainsi que certaines propriétés comme l'imperméabilité, la solidité… Les apprêts ignifuges améliorent la résistance au feu.

Une autre finition simple est le brossage : il donne un effet duveteux en libérant et allongeant les fibres de surface. Le grattage est un procédé similaire, mais plus brutal, qui s'effectue à l'aide de crochets minuscules. Il y a également le lustrage qui augmente la brillance.

IGNIFUGÉ   GRATTÉ   LUSTRÉ

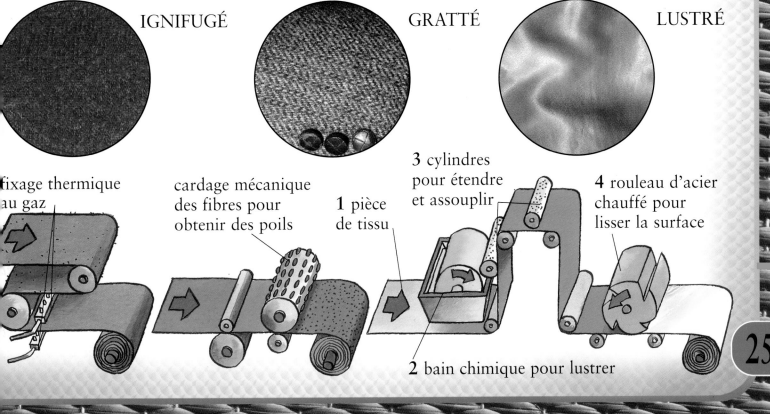

fixage thermique au gaz

cardage mécanique des fibres pour obtenir des poils

1 pièce de tissu

3 cylindres pour étendre et assouplir

4 rouleau d'acier chauffé pour lisser la surface

2 bain chimique pour lustrer

Certains textiles ne sont pas traités. Ils ont donc les coloris des fibres d'origine. Mais la plupart sont colorés à l'aide de teintures ou d'impressions.

L'IMPRESSION

C'est la décoration des toiles par des motifs colorés à l'aide d'encres. Il existe de nombreuses méthodes d'impression. L'encre peut être appliquée en pressant sur le tissu des planches à relief, en bois sculpté ou en métal gravé, ou encore avec des rouleaux.

L'IMPRESSION AU CADRE PLAT

Dans ce procédé, le cadre est un tamis à mailles très fines, partiellement obturé par un vernis suivant le motif à reproduire. L'encre ne peut passer qu'aux endroits désirés. Le cadre peut être un tissu (à l'origine, il était en soie) ou un tamis métallique très fin. Les différentes couleurs d'encre sont appliquées séparément, l'une après l'autre, jusqu'à la complète réalisation du motif.

Les machines à imprimer à rouleaux impriment plusieurs centaines de mètres de tissu par minute.

cadre en chariot   encre   tamis obturé par un vernis   le rouleau pousse l'encre à travers le tamis

1 la première couleur est appliquée sur l'étoffe

2 pose de la seconde couleur

3 les encres sont séchées

La teinture

C'est une préparation liquide de matières colorantes, ou pigments, diluées habituellement dans de l'eau. Les tissus peuvent être teintés à n'importe quel stade de leur élaboration - de la fibre d'origine au tissu fini - par trempage dans la teinture. Les différentes fibres, aussi bien naturelles qu'artificielles, absorbent différemment les teintes. Par exemple, la viscose se teint très facilement contrairement au jute.

William Perkin (1838–1907).

L'utilisation de pigments pour la coloration des tissus nécessite des liants ou des résines pour fixer les teintes.

Un transfert est une décalcomanie reportée sur un tissu. La chaleur d'un fer à repasser dissout les encres qui pénètrent alors dans le tissu.

Les tapis tissés à la main reproduisent souvent des motifs très complexes. Leur confection est un véritable art.

28 Les textiles du futur

La fabrication des textiles est un procédé long et complexe. L'industrie chimique contribue au développement de nouvelles fibres artificielles. De même, les spécialistes du tissage imaginent d'autres façons de les assembler.

De plus en plus de tissus «respirent» tel le Gore-Tex. Ils ne laissent passer l'humidité que dans un sens : ils permettent l'évacuation de la transpiration cutanée tout en protégeant du vent et de la pluie. Ces tissus sont généralement composés de plusieurs couches. Ils sont conçus pour une utilisation en extérieur et pour les vêtements de survie.

Le Kevlar est utilisé pour les gilets pare-balles, les cordes très résistantes, les voiles des planches à voile et les ailes des ULM.

Les fibres aramides sont très longues et soyeuses.

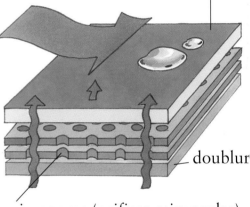

couche externe imperméable

doublur

micropores (orifices minuscules) qui ne laissent passer l'humidité que dans un sens

PLUS SOLIDE QUE L'ACIER

Certaines fibres synthétiques ou artificielles sont plus résistantes que les fils d'acier de même taille. Les fibres aramides, tel le Kevlar, sont d'une structure similaire au Nylon, mais beaucoup plus robustes. Elles résistent à la chaleur, la corrosion et aux chocs. Leur tissage donne une matière légère, au toucher délicat, et imperméable.

LE RECYCLAGE DES TEXTILES

La fabrication de vêtements, rideaux, tapis et autres textiles de base coûte très cher, en matières premières, en machines et énergie. Leur recyclage est donc primordial. Le ramassage des tissus usagés s'effectue aux points de collecte des chiffons. Les fibres peuvent être déchiquetées et réutilisées pour la confection de feutres, rembourrages, chiffons de nettoyage…

Les vêtements sont réutilisés ou transformés en chiffons pour le ménage, par exemple.

COMBINAISONS DE FIBRES

Les textiles sont en général réalisés de manière traditionnelle, du filage au tissage. Mais la technologie moderne autorise de nouveaux assortiments de fibres. Des fibres enroulées, comme tire-bouchonnées, peuvent se dérouler et s'étirer jusqu'à dix fois leur longueur initiale.

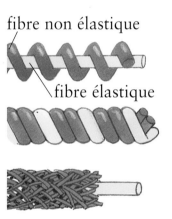

fibre non élastique

fibre élastique

Combinaisons variées de fibres pour des utilisations spécifiques

Les tenues de sport sont réalisées dans des tissus élastiques, tel le Lycra.

TYPES DE FIBRES	CARACTÉRISTIQUES ET EMPLOIS
ANIMALES	
Laine (moutons, chèvres, chameaux, lapins…)	Très souple et élastique, ses fibres peuvent être filées et tissées de toutes les façons possibles. Elle absorbe l'humidité et garde la chaleur. Utilisée pour des vêtements, couvertures, tapis, isolants.
Soie (vers à soie)	Ses filaments sont très longs, fins, soyeux et résistants. La soie est réservée aux vêtements de luxe et à la confection de draps, sous-vêtements, foulards, tapisseries, doublures.
VÉGÉTALES	
Coton (capsules du cotonnier)	Ses fibres courtes et pelucheuses se filent et se tissent aisément. Elles fixent bien la teinture, absorbent l'humidité et la transpiration, se lavent facilement et sèchent rapidement.
Lin (tiges)	Ses fibres longues et flexibles ne sont pas très élastiques. Il sert à fabriquer du fil à coudre, de la ficelle et des filets. Tissé, il fournit la toile de lin utile aux vêtements, draps, nappes, serviettes de table.
Sisal (feuilles de l'agave)	Ses fibres sont assez grossières, longues, solides et rigides. Le sisal permet la réalisation de sacs, bagages, cordages, ficelles, brosses…
Chanvre (tiges)	Ses fibres sont longues, résistantes, raides, inusables. Il sert à faire des sacs, bagages, toiles grossières, cordes, ficelles.
Kapok (capsules du kapokier)	Ses fibres courtes, d'un diamètre élevé, possèdent une grande flottabilité. Il est utilisé pour des appareils de sauvetage et des rembourrages.
Jute (écorce du corchorus)	Ses très longues fibres sont grossières, fragiles et difficiles à teindre. Il permet de réaliser des sacs, cordes, nattes.
ARTIFICIELLES	
Viscose (cellulose)	Ses très longs filaments sont souples et soyeux. Ils absorbent l'humidité et se teignent facilement. Elle est utilisée pour des vêtements, draperies, compresses, filtres, renforts des tissus, filets.
Polyamides (Nylon, Rilsan)	Leurs filaments sont très longs et soyeux, variables en solidité et douceur. Ils résistent à l'humidité, la pourriture et aux produits chimiques. Le Nylon est utilisé pour les vêtements, draperies, cordages.
Acryliques	Leurs fibres sont douces, duveteuses et laineuses. Elles s'utilisent mélangées avec d'autres, mais aussi en remplacement de la laine.
Polyester (Tergal, Dacron)	Ses fibres creuses sont utilisées pour la confection de vêtements chauds, les doublures et le matelassage.

Glossaire

aramide : se dit de fibres et de fils synthétiques qui possèdent de très bonnes propriétés mécaniques et une excellente résistance à la chaleur.

artificielles (fibres) : des fibres fabriquées à partir de la cellulose extraite de produits naturels.

capsule : un fruit sec qui s'ouvre par des fentes ou des pores.

cardage : l'opération pour peigner, démêler des fibres textiles avec une carde, une machine garnie de pointes métalliques.

cellulose : c'est le constituant principal de la paroi des cellules végétales, utilisé notamment dans la fabrication du papier et de textiles.

chaîne (fils de) : fils parallèles disposés dans le sens de la longueur d'un tissu.

égrenage : l'action de détacher les grains d'un épi ou les fibres des graines.

filière : une plaque perforée utilisée dans la fabrication des fibres textiles chimiques.

monomère : un corps chimique constitué de molécules simples qui se joignent à d'autres molécules semblables, comme le maillon d'une chaîne, pour former un polymère.

perméable : qui se laisse traverser par les liquides (telle l'eau) ou par des gaz.

polymère : un corps chimique formé par de longues chaînes de monomères.

quenouille : une tige en bois munie d'une tête renflée utilisée autrefois pour maintenir le textile à filer.

rouet : un instrument à roue, mû par une pédale, qui servait autrefois à filer la laine, le lin et le chanvre.

soie grège : une soie brute telle qu'on l'a tirée du cocon.

synthétiques (fibres) : des fibres fabriquées à partir de produits chimiques issus pour la plupart du pétrole.

trame (fils de) : fils passant transversalement entre les fils de chaîne tendus sur le métier à tisser.